第一影响力艺术宝库

典藏大师·绘画

《第一影响力艺术宝库》编委会 编著

徐渭 水墨绝唱

北京出版社

# 站在水墨大写意之巅

徐渭（1521～1593），字文长，号天池道人、青藤道人，别号"田水月"，浙江山阴（绍兴）人。他出身官宦，幼年丧父，遭遇坎坷。徐渭早年学画，师承陈鹤，并与谢时臣、沈仕交往，但他形成自己的风格主要靠自学。坎坷的人生际遇，较高的天赋和对宋元文人画、禅宗画，明代"吴派"、"浙派"的精华的汲取，使徐渭的画风既有行家的熟练技巧，又有文人意趣；放纵笔墨的同时避免了简率和狂躁；保留气韵神采的同时克服了平和与柔弱。徐渭是将水墨大写意画推向巅峰的一代巨匠，其花卉画集前代水墨、写意画法之大成。

徐渭花卉画的主要艺术特色表现在：内容上的文人画特质和形式上的水墨大写意技法。文人画特质突出体现在作品的主体化和个性化方面。他擅长绘文人所熟悉和喜爱的四君子、荷花、芭蕉等，尤喜以花木在凄风苦雨中的姿态，来象征他人生的苦痛。牡丹属富贵花，色彩绚烂，但他却常以水墨绘之，不着意刻画花卉的自然生趣，而是从主观出发，有意改其本性，从而借题发挥，直抒胸襟，抒写自己的怀才不遇。横溢雄阔的才情、变幻莫测的意境、高旷脱俗的情趣、诗书画的三结合也是其文人画的特

质。徐渭的水墨写意法，不仅将技巧升华到新的高度，还强化了文人画特色。他笔下的形象"不求形似求生韵"，以寥寥几笔，倾倒墨汁的淋漓水墨，浑然天成地传达出物象的神韵，将写意法演变为大写意法，真正达到了"逸品"和文人画所标榜的"逸笔草草，不求形似"。

徐渭的才华还表现在诗文、戏曲、杂学等方面。他一生著作甚丰，包括诗文、戏曲、县志、读书札记、经书注释、医书、书评、书画理论、尺牍示范以及灯谜、酒牌谱等。其《四声猿》剧本，或借古讽今，或讽刺伪善道学，或一反男尊女卑的传统观念，寓意深刻，发人深省，文词激越，动人心弦。徐渭的绘画艺术个性与其文学、戏曲、书法是统一的。他主张"舍形而悦影"，强调"本色"，创作要见"真性情"，要直抒胸臆，把宋元文人画理论中强调艺术个性的传统与明代后期个性解放的时代特征结合起来。

他兼能花鸟、山水和人物，以狂怪奇崛的形态，突破了题材的局限。清淡幽雅的梅兰竹石、云烟山景，在他笔下都充满战斗性；柔美含蓄的笔调转为迅疾奔放、激越昂扬。对于最利于他自由发挥的花鸟画，他常常随兴所至，信手拈来，跌宕跳荡，脱略形似。现藏南京博物院的《杂花图》是徐渭代表作。

**第一影响力艺术宝库**

　　花鸟画的水墨和小写意画法元代开始流行，经明代早中期宫廷画家林良、吕纪和吴门画家沈周、文徵明的发展，到明代中后期的陈淳、徐渭终于完成了向水墨大写意的飞跃。其水墨与宣纸的材料特性，以草书入画的笔法，直抒胸臆的抒情性都发挥到了史无前例的新高度，成为明代绘画中最有革命性、最具发展前途的创造。徐渭是水墨大写意画派的确立者，对后世的八大山人、石涛、郑燮、李文鹰、清末海派直至现代齐白石、李苦禅等人，都产生了深远影响。史称这一画派为"青藤画派"。

　　这本画册，精选了徐渭的传世绘画作品，每幅作品都配有作品名称、作品赏析、作品年代、作品材质、作品尺寸、绘法、收藏者、影响力指数等信息，弥足珍贵。画册装帧新颖，文字精美，开头的"走近中国画"还为广大读者提供了关于中国画的绘画、鉴赏、收藏等方面的知识，以及使用本书的方法。这套画册在成书过程中，得到许多专家、鉴赏家的支持，在此谨表谢意。因时间及人力所限，书中的不足之处，恳请广大读者批评指正。

《第一影响力艺术宝库》编委会

2004 年 10 月

# 走近中国画

　　一管毛笔，一方砚台，一滴香墨，一张宣纸，几行诗文，几抹红印。

　　喜欢，就走近它——中国画。

**藏**
　　收藏古画须防虫蛀、发霉、受潮、水浸、火烧。挂卷存须小心，揭裱须慎重。

**作品名称** ●

**书** ●
　　中国画上的题诗、落款，鉴赏时主要看其位置、字体、大小与画本身的搭配，及书法自身水平。

**印** ●
　　中国画的印章分作者、题跋人、收藏人等三类，鉴赏时主要看其风格、大小、流派、位置。

**笔** ●
　　中国画用毛笔，唐宋时"紫毫笔"最佳，明清时为"湖笔"取代至今。

**砚** ●
　　研磨工具，一般为岩石或泥沙所制；传统分端砚、歙砚、洮砚、澄泥砚四大砚。

**纸** ●
　　中国画绘画材质，一般为宣纸、帛、绢、绫等，宣纸最宜作画。

**墨** ●
　　中国画用墨为主，兼用矿物、有机颜料。古代易墨、徽墨最负盛名。

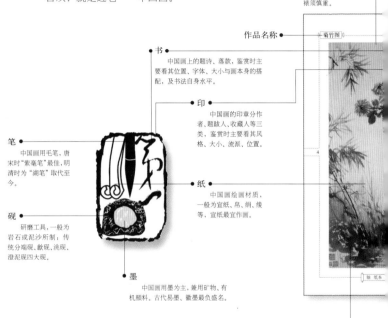

菊竹图

轴 纸本

**赏**
　　鉴赏古画主要依据其时代风格和艺术个性，及服饰、器物、款跋、纸绢、装裱、印章、年月等。

菊花经过秋天，在百花凋零的时候，反而壮笔吐放着。所以自古以来画家和诗人经常会用菊花来比喻在逆境中坚持节操的高尚人格。徐渭也是这样，不过他笔下的菊花跟别人的有些不一样，此幅笔墨纵横挥洒一株，委态婆娑，在菊花的旁边画了一些小草来陪衬，使秋菊更显劲挺吐放。从右上角的款识落笔看起来，这题倒简可以说是徐渭其人的真实写照，在世态炎凉的社会中傲然磊落，不为当时社会上污浊的气息所染。

### 徐渭认妈

明正德十六年（1521年）徐渭出生在江南小城——绍兴，在他出生百日的时候，他的父亲徐鏓去世。绍兴地的母亲，两个异母的哥哥一起生活，转眼，徐渭长到了六七岁，已经开始懂事了，他发现嫡母对他总有股隔膜，还要在没人看见的地方一边给他一边流泪。

有一天，他终于忍不住问："娘娘，你知道是我什么人吗？"嫡母横了一下说："我是你的嫡母。"小徐渭说："不，你是我的妈妈"，嫡母的泪水不禁流了下来说："不，我不是你的妈妈"，她愣了一下，忍不住问："你怎么知道？"小徐渭说："因为时代跟我只有嫡母，才会对我这么好……"嫡母一把搂住了小徐渭，嫩眼睛像物他。忽然，她把嫡娘隔着她的手推开了，母子开始争执，她泪流一眼，看向母亲也哭了。

原来，徐渭的母亲是他生父亲的第二任妾室，结婚后一直没有生育，面对丈夫的前妻留下的两个和自己年龄差不多的儿子和已经新娶进来的丈夫，她感到自己的孩子……

辽宁省博物馆藏

轴　纸本　墨笔　90.4 × 44.4cm　辽宁省博物馆藏

# 图版目录

三清图 ........................ 1

杂花图 ........................ 2

菊竹图 ........................ 4

竹枝水仙图 ...................... 6

三友图 ........................ 7

花果图 ........................ 8

葡萄图 ........................ 10

雪竹图 ........................ 12

瓶花图 ........................ 13

水墨花卉图 ...................... 14

花卉图 ........................ 16

墨葡萄图 ....................... 18

花鸟图 ........................ 19

竹石图 ........................ 20

竹石图 ........................ 21

杂花图 ........................ 22

墨花十二段 ..................... 26

蕉石图 ........................ 28

蕉石图 ........................ 29

五月莲花图 ..................... 30

# 图版目录

| | | | | |
|---|---|---|---|---|
| 牡丹蕉石图 | 31 | 花卉杂画(葡萄) | 44 |
| 榴实图 | 32 | 花卉杂画(芭蕉石榴) | 46 |
| 四时花卉图 | 34 | 花卉图(一) | 48 |
| 佛手图 | 36 | 花卉图(二) | 49 |
| 墨葡萄图 | 37 | 花卉图(三) | 50 |
| 花卉图(牡丹) | 38 | 花卉图(四) | 51 |
| 花卉图(葵) | 39 | 花卉图(五) | 52 |
| 花卉图(竹) | 40 | 花卉图(六) | 53 |
| 葡萄图 | 41 | 梅竹图 | 54 |
| 花卉图 | 42 | 写意草虫图 | 56 |

# 图版目录

山水人物图(一) . . . . . . . . . . . . . . . . . . . . 58

山水人物图(二) . . . . . . . . . . . . . . . . . . . . 59

山水人物图(三) . . . . . . . . . . . . . . . . . . . . 60

山水人物图(四) . . . . . . . . . . . . . . . . . . . . 61

山水人物图(五、六) . . . . . . . . . . . . . . . 62

山水人物图(七) . . . . . . . . . . . . . . . . . . . . 64

山水人物图(八) . . . . . . . . . . . . . . . . . . . . 65

墨花九段 . . . . . . . . . . . . . . . . . . . . . . . . . . 66

花卉人物图(一) . . . . . . . . . . . . . . . . . . . . 70

花卉人物图(二) . . . . . . . . . . . . . . . . . . . . 71

花卉人物图(三) . . . . . . . . . . . . . . . . . . . . 72

花卉人物图(四) . . . . . . . . . . . . . . . . . . . . 73

墨花图(一) . . . . . . . . . . . . . . . . . . . . . . . . 74

墨花图(二) . . . . . . . . . . . . . . . . . . . . . . . . 75

墨花图(三) . . . . . . . . . . . . . . . . . . . . . . . . 76

墨花图(四) . . . . . . . . . . . . . . . . . . . . . . . . 77

墨花图(五、六) . . . . . . . . . . . . . . . . . . . 78

墨花图(七) . . . . . . . . . . . . . . . . . . . . . . . . 80

墨花图(八) . . . . . . . . . . . . . . . . . . . . . . . . 81

蔬果图 . . . . . . . . . . . . . . . . . . . . . . . . . . . . 82

图版目录

泼墨十二段(一) ................... 84

泼墨十二段(二) ................... 85

泼墨十二段(三、四) ............... 86

泼墨十二段(五) ................... 88

泼墨十二段(六) ................... 89

泼墨十二段(七) ................... 90

泼墨十二段(八) ................... 91

泼墨十二段(九、十) ............... 92

泼墨十二段(十一) ................. 94

泼墨十二段(十二) ................. 95

黄甲图 ........................... 96

花卉人物图(一) ................... 97

花卉人物图(二) ................... 98

花卉人物图(三) ................... 99

鱼蟹图 ........................... 100

拟鸢图 ........................... 102

四时花卉图 ....................... 104

图版

水墨绝唱——徐渭

此画将枯木、墨石和杂草绘在一个画面里,枯木和墨石给人以凄冷的感觉,周围的一些小杂草更显得气象悲凉。树枝纵横交错,没有一点叶子,只剩下一个干瘪的枯藤,墨石形状怪异,阴凉可怕,墨石周围的小杂草更将整幅画的悲凉气氛推向了极点。这天寒地冻的场面,正是徐渭一生坎坷的写照。

轴 纸本 墨笔 142.4 × 79.4cm 南京博物院藏

2

昨歲中秋月倍圓海南辭
毋不成眠明珠一夜變成愁
向誰家壁上縣

姚黃魏紫懶迎眸
剝盡鉛華不肯休
大葉大唇堆
墨瀋真教人擬綉為樓

探苻九日龍山頹憑倦憑
來一醉眠閒酒偶然裹壓涯
試將斑管取金鈴

真誰春光不屑儂一香已
送盡空子紅粧含醉向韓嫣
祇緣姓人間臨摹鳳

4

身世浑如泊海舟关门
岁月不搔头东篱
蝴蝶间来往
看写黄花过
一秋 天池

菊花经过秋天，在百花凋零的时候，反而吐英放香，所以自古以来画家和诗人经常会用菊花来比喻在逆境中坚持节操的高尚人格，徐渭也是这样，不过他笔下的菊花跟别人的有些不一样。此画用墨笔绘秋菊一株，姿态婆娑，在菊花的旁边画了一些小草来陪衬，使秋菊更显得突出。从右上角的题诗来解读，这幅画简直可以说就是徐渭其人的真实写照，在世态炎凉的社会中傲然矗立，不为当时社会上污浊的气息所染。

# 徐渭认妈

　　明正德十六年（1521年）徐渭出生在江南小城——绍兴。在他出生百日的时候，他的父亲就去世了。他和他的母亲、两个哥哥一起生活。转眼，徐渭长到了六七岁，已经开始懂事了，他发现姨娘对他百般溺爱，还常在没人看见的地方一边亲他一边流泪。

　　有一天，他终于忍不住问："姨娘，你到底是我什么人呢？"姨娘愣了一下说："我是你的姨娘。"小徐渭说："不，你是我的妈妈。"姨娘的泪水不禁流了下来说："不，我不是你的妈妈。"她顿了一下，忍不住问："你怎么知道？"小徐渭说："因为你对我最好，只有妈妈，才会对我这么好……"姨娘一把搂住了小徐渭，哽咽地亲吻他。忽然，他感到姨娘抱着的他的手松开了，身子开始发抖。他回头一看，他的母亲出现了。

　　原来，徐渭的母亲苗宜人是他父亲的第二任妻子，结婚后一直没有生育。面对丈夫的前妻留下的两个和自己年龄差不多的儿子和已经渐渐衰老的丈夫，她果断地把自己的丫鬟给了徐渭的父亲作小妾。一年后，小徐渭出生了，苗宜人把徐渭当成自己的孩子来养，让徐渭叫自己"母亲"，叫他的亲生母亲"姨娘"。

　　今天的认亲场面让苗宜人很恼火，怕丫鬟的存在影响了他们"母子"的感情。不久，苗宜人以家境困难为由把徐渭的亲生母亲卖了。这是徐渭人生中遭受到的第一个打击。

此画的主体部分从画幅的左侧斜曳而出，犹如微风吹过瞬间所产生的美感。竹子自然落笔，成组成排的竹叶在徐渭笔下栩栩如生，浓墨绘叶，使人更加觉得竹叶逼真摇曳，有的看起来嫩一些，有的看起来老一些，都信手拈来。在竹叶的下方有一丛水仙，水仙绝无烟火之气，给人以素净淡雅之感。

6

轴　纸本　墨笔　96.5×57.7cm　吉林省博物馆藏

轴　纸本　墨笔　142.4 × 79.5cm　南京博物院藏

8

卷　纸本　设色　33.5 × 522.8cm　上海博物馆藏

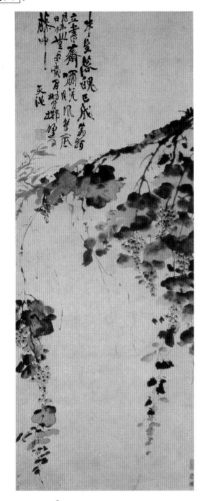

徐渭善于利用落款增强画面的内容与变化，此幅《葡萄图》，主干从画幅的上方斜曳而出，分两支直贯而下，几乎与边线平行，形如"门"字，显得缺乏变化，但经作者在左上角一落款，即使画面布局构成 S 形，显得灵活而富有变化。

轴 纸本 墨笔 166.3 × 64.5cm 北京故宫博物院藏

# 公堂聊天

徐渭十岁那年，他家里的三个仆人逃跑了，因为他们是徐渭名下的"财产"，所以，徐渭在哥哥的带领下到县衙报案。

县令一见小徐渭就问："你是不是叫徐文长啊？"徐渭很奇怪，反问到："我的状纸上只写了我叫徐渭，你是怎么知道我的字的呢？"县令看他一点也不害怕，就如此这般说了一通。原来绍兴府的学官曾见过徐渭，并对他青眼有加，也曾对县令提及。徐渭听了恍然大悟地说："哦，你是说那个老头子啊。"县令说："你这个孩子真是无礼，怎么能称学官为老头子呢？"徐渭胸有成竹地说："他是长辈，占一个老字，又是绍兴学子的首领，首者，头也。这不就是老头了吗？"

县令乐得哈哈大笑，顺口出了几道题，看他的书读得怎么样。不料徐渭对答如流。县令不得不感慨自己已经老了，恐怕没有机会看到这个孩子有出息的那一天了。他乘兴出了个题目，让徐渭写篇文章。徐渭的哥哥很害怕，悄悄嘱咐他说："他是父母官，你可不要瞎写。"徐渭说："你等着看他读文章时的表情吧！"果不其然，县令看着徐渭的文章，一会儿沉思，一会儿摇头晃脑，看到精彩处，还读给身边的典史听。

总之，这次报案就变成了一次轻松的聊天，临别时县令还送给徐渭一盒精制的兔毫笔。徐渭一时被传为神童。

竹与梅兰菊合称"四君子"，是文人画家常画的题材，徐渭自五十六岁以后画竹颇多，他画花卉也经常以竹相配。竹叶经冬不凋，所以文人画家多以此表现耐寒坚贞的品格；竹竿皆有节，且内空，所以画家又赋予它虚心而有气节的含意。徐渭画的竹也有上述的品格含意。此幅《雪竹图》中有雪竹数段，以淡墨染底，衬出枝叶上的积雪，含意很浓，最能体现竹的品格。

12

13

局部

轴　纸本　墨笔　96.5 × 27.7cm　广东省博物馆藏

14

卷　纸本　墨笔　32.5 × 624cm　云南省博物馆藏

16

# 听琴

1543 年，苗宜人一病不起。虽然当初她把徐渭的亲生母亲卖掉了，但苗氏对徐渭还是很好的，对于性格敏感的十四岁的徐渭来说，母亲的离去是他人生中的第二次巨大打击。为此他整整三天水米不进，街上纷纷传说徐家出了个大孝子，苗氏没有白疼他。

苗氏死后，徐渭很长一段时间都沉默寡言。有一天，他信步走出家门，看落叶在秋风中飘落，给小路铺上了片片金黄。忽然，他听到了隐隐约约的琴声传来，一开始他还以为自己出现了幻觉，循声走去，竟然来到一间茅舍。

只见一位老人正在弹奏，琴中的惆怅、彷徨、失意、落寞一起涌上心头。一曲终了，徐渭禁不住上前施礼道："老人家，您能教我学琴么？"老人说："你先说说你听到了什么？""感伤，失意，哭不出来的痛苦……""知音啊！"老人连忙起身问到："你是谁家的孩子？""河那边的徐家。""哦，你就是那个神童吧？"……

一老一少、一教一学的日子转眼就过了几十天，一天，徐渭说："老师，你听听我自己作的这首曲子。"一曲毕，老人说："琴声忽如波涛汹涌，忽如水落石出，你弹的是苏轼的意境，是么？"徐渭说："是啊，我取的是《前后赤壁赋》的意境。"老人感慨说："真是青出于蓝啊，我已经教不了你了。你真是一个天才，以后一定会扬名天下的。"

徐渭在五十多岁出狱后，曾较长时间住在一个不大的名曰"梅花馆"的屋舍，因屋前有一株柿树，所以又叫"柿树堂"。屋舍西面种了一架葡萄，徐渭经常夏天的时候在葡萄架下乘凉。到秋天后葡萄果实累累，圆莹可爱，于是徐渭就动了画葡萄的兴致。此画中葡萄枝蔓横斜，叶叶如掌，叶间葡萄果实串串垂下，珠圆玉润，令人喜爱，左侧上方有题诗两句填补了剩下的空白，使画面看起来和谐统一。

18

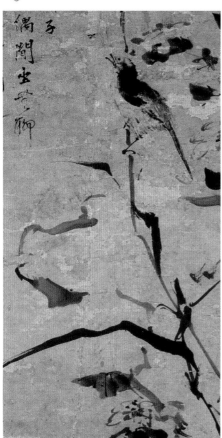

局部

轴　纸本　墨笔　84 × 30cm　广州市美术馆藏

此画画面前部有一株水仙，背后有一大块石头，这块石头用浓墨绘成，占据了画面很大的面积；在石头右侧又有几枝竹叶伸出，都是用浓墨绘成，这样就与前面的水仙形成鲜明对比。画中的水仙，全部用白描法，有超凡脱俗的气质。

20

轴 纸本 墨笔 134.5×47.3cm 天津市艺术博物馆藏

此画描绘墨竹数竿，墨色淋漓，笔法泼辣痛快，枝叶凌风飘摇，似乎能让人听见飒飒的风声。从题诗上不难看出，画中徐渭以竹比自己，也比正直之士：这些竹没有太多的叶子，为何会招惹风波呢？寓含着对现实的不满情绪，同时也赞颂竹的坚贞和反抗力量。

轴　纸本　墨笔　122×38cm　广东省博物馆藏

22

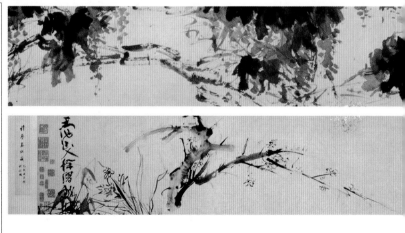

卷 纸本 墨笔 30 × 1053.5cm 南京博物院藏

## 《杂花图》

　　徐渭一生坎坷，但"塞翁失马，焉知非福"。命运之神赋予他无以伦比的才华，惨痛经历在他作品中留下的那些难以磨灭的印记，使无数后世画家顶礼膜拜，可望而不可及。《杂花图》是他的代表作之一，从中我们看到命运与才华的交相辉映。

　　全卷分十段，共计十三种花卉。起首的牡丹，自古象征富贵，但徐渭一改前人的工笔绘法，改以泼墨法描绘，有人评价："虽有生意，终不是此花真面目。"这枝墨牡丹，表明在徐渭的生命中没有富贵的牡丹。紧接着是石榴的灵动与墨荷的墨彩缤纷，梧桐的肥硕的枝干是这两小段的重心，也是全画第一个高潮。草草几笔，随意点染的菊花、扁豆、紫薇貌似不经意之笔，但就章法而言，疏密是相对而存在的。这一小段，是处理全画节奏的关键。紫藤老干泼辣粗放，"一扫桫枒三丈绢"的气势，形成了全图的最高潮。紫藤的花叶水墨淋漓，走笔如飞而不乱，意犹跃出纸外。芭蕉滋润而含蓄，与紫藤形成了动与静的强烈对比，貌与质的相依共存。梅枝横斜傲骨铮铮、幽兰、纤竹寥寥数笔，是为尾声。

　　全卷起、承、转、合一气呵成，畅快淋漓，就像青藤老人胸中激情的横流被纵横涂抹在画卷之上。

26

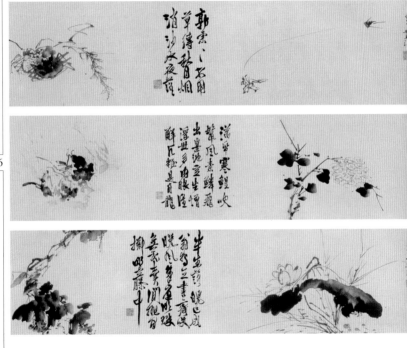

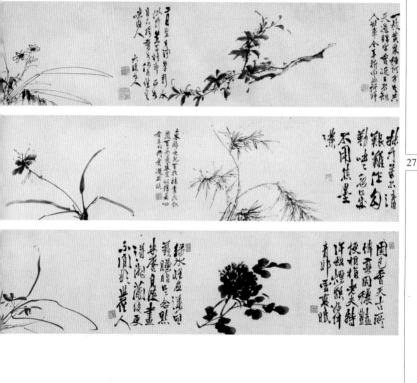

卷　纸本　墨笔　32.5 × 795.5cm　北京故宫博物院藏

28

局部

轴　纸本　墨笔　138.7 × 37.1cm　上海博物馆藏

画的左方有一块大石头，石头后面掩映着两株芭蕉，石头的顶端还有一株梅花隐约闪现。石头用的是浓墨，有种怪石嶙峋的感觉，增强了画面的体积感。徐渭将芭蕉和梅花放在一起，寓意好事不能两全，也抒发了他的不满情绪。

30

轴　纸本　墨笔　103 × 51cm　上海博物馆藏

此画中芭蕉、牡丹和湖石，均以粗笔泼墨画成，没有做细致刻画。此画成功之处除了徐渭擅长驾驭水墨外，更重要的是依赖其书法根底的深厚，大片墨色中犹可见其笔意，耐人品味。

轴 纸本 墨笔 120.6 × 58cm 上海博物馆藏

32

局部

轴　纸本　墨笔　91.4 × 26.5cm　中国台北故宫博物院藏

## 不良少年

徐渭因为自幼聪明，所以民间流传很多关于他的奇闻逸事。

有一天，恰逢大雨，他没有带雨具。这时，他看到有两个卖缸的商贩在躲雨，于是他灵机一动说："我家里想买缸，你们能把缸给我送到家里去么？"卖缸的一口答应下来。他又进一步说："你们抬着空缸也不是很沉，不如让我坐在缸里吧，免得你们先到家还得等我。"两人又答应了。过了一会，徐渭说："你们抬着缸没法打伞，还是我给你们打着吧。"就这样，两人冒雨把他抬到了家，他却说："我在路上发现你们的缸不是很好，我不要了。"

有个自认为很聪明，但并不认识徐渭的农人听说这件事，扬言要为卖缸的人打抱不平。徐渭听说了，就决定戏弄他一下。那个农夫经常要挑担粪到桥对面去浇地，石拱桥的台阶很高，挑过去很沉，但是提过去就更难了。徐渭这天故意等在那，一看到那个农人挑过来，就主动跑过去，要帮他把两桶大粪分两次抬过桥。农人很高兴地答应了。谁知把第一桶抬过去之后，徐渭说他肚子疼，就跑开了。农夫在那左等右等就是不见他回来，一个人面对两桶大粪——一桶在桥这头，一桶在桥那头，左右为难。这时候才明白上了徐渭的当。

卷　纸本　墨笔　46.6 × 622.2cm　北京故宫博物院藏

佛手是常绿小乔木，叶子长圆形，花白色，果实鲜黄色，下端有裂纹，形状像半握着的手，有芳香，可以入药。此画中佛手位于画面中心，叶子和枝杈用浓墨画成，叶子的质感、枝杈的小刺显现得细致入微。

36

册页 纸本 墨笔 29.5×21cm 广州市美术馆藏

册页 纸本 墨笔 27×23cm 扬州市文物商店藏

　　此画描绘了水墨牡丹花一丛，题了一首七绝诗："我学彭城写岁寒，何缘春色忽黄檀？正如三醉岳阳客，时访青楼白牡丹。"彭城是古地名，这里指学习道家养生术。黄檀指牡丹花香。三醉岳阳客即道教中传说的远祖唐代吕洞宾，神话传说有"洞宾戏牡丹"的故事。此画含有一种诙谐戏谑的趣味，同时也体现出甘于淡泊自守的心情。

卷　纸本　墨笔　32.5×535.5cm　(美)弗利尔美术馆藏

　　此画描绘的是葵花，叶子用墨浓重，给人以稳重感。叶子很有生机，葵花栩栩如生。

卷　纸本　墨笔　32.5 × 535.5cm　(美)弗利尔美术馆藏

卷　纸本　墨笔　32.5 × 535.5cm　(美)弗利尔美术馆藏

半生落魄已成翁，独立书斋啸晚风。笔底明珠无处卖，闲抛闲掷野藤中　天池道人渭

轴　纸本　墨笔　184.9×90.7cm　浙江省博物馆藏

42

局部

轴 纸本 墨笔 129.5 × 32.2cm 广东省博物馆藏

# 徐渭的身世

徐渭出生仅满百日就成了孤儿，由继母苗氏抚养，但慈爱的苗氏在十四年后也谢世了。徐渭悲痛欲绝，向天叩头直至流血，但并不能改变又一次失去母亲的事实。从此他的生活出现了转折。

他二十三岁乡试，前后八次均告失败，于是灰心仕途。人到中年有幸被兵部右侍郎兼金都御史胡宗宪看中，嘉靖三十七年（1558年）被招至任浙、闽总督幕僚军师。在此期间，徐渭表现出惊人的军事、政治、经济才华，还参与过东南沿海的抗倭斗争。为胡宗宪起草的《献白鹿表》，甚至得到明世宗嘉靖皇帝的赏识。就在他的命运刚刚看到曙光的时候，胡宗宪被弹劾为严嵩同党，被捕自杀。

这件事让徐渭深受刺激，一度发狂，精神失常，曾"引巨锥割耳、深数寸；又以椎碎肾囊，皆不死"，在这种癫狂的状况下，他误杀了自己的妻子入狱七年。五十三岁出狱后，他的艺术生涯正式开始，并取得巨大成就，然而终究是一生潦倒，飘泊无定，到死都没有一个属于自己的栖身之所。所谓"半生落魄已成翁，独立书斋啸晚风，笔底明珠无处卖，闲抛闲掷野藤中"就是他晚年生活的真实写照。万历二十一年(1593年)，七十三岁的徐渭贫病交加，死在家中(青藤书屋)破草垫上。

44

卷 纸本 墨笔 28.2 × 665.2cm (日)东京国立博物馆藏

卷　纸本　墨笔　28.2 × 665.2cm　(日)东京国立博物馆藏

　　此画描绘的是兰花，兰花根部用大面积泼墨绘成，枝叶散乱，零星有兰花开放，看似在野地生长的野兰花。

册页　纸本　墨笔　46.3 × 62.4cm　北京故宫博物院藏

　　此画描绘的是牡丹，牡丹花鲜艳漂亮，富丽堂皇，世人称"富贵花"，象征着荣华富贵，徐渭画此牡丹不用彩色，而仅仅用水墨，结合题诗可见他对富贵从不奢求的正直人格。

50

　　此画中一只黑蟹在背上背了一枝芦苇，画中题有"传芦"两个字，传芦与"传胪"谐音。在古代，科举进士及第后，宣制唱名就叫做"传胪"。这里画家借"无肠公子"（黑蟹）讽刺了那些没有真才实学，而且横行霸道的人。

52

册页　纸本　墨笔　46.3 × 62.4cm　北京故宫博物院藏

此画描绘的是荷花，水墨荷叶托出白莲一朵，素净娇美。

册页　纸本　墨笔　46.3 × 62.4cm　北京故宫博物院藏

一蛛樱红拂三
六白鹭

白伯墨

局部

轴 纸本 设色 116.5 × 32cm 广东省博物馆藏

54

# 村姑联句

    虽说徐渭是有名的才子，素有急智，但是他也有被难住的时候。话说这天，他到湖州去拜访一位朋友，到了一个岔路口，不知道该怎么走，正巧旁边有一位采桑姑娘，于是他上前问道："借问姑娘，能否指点潘钗家住何方？"姑娘嫣然一笑说："还报先生，可曾记得秀才居有梅香？"徐渭一听，不禁自言自语道："奇了，姑娘竟然与我联句。"姑娘脱口而出："怪哉，客人咋由你一人独语？"

    "哈哈，真是一个调皮丫头。""喂喂，莫非半路落地秀才？"

    "真是，姑娘好眼力，上月才名落孙山。"

    "无妨，先生有心胸，来年定桂折蟾宫。"

    "托福，借姑娘金口。"

    "客气，是先生造化。"

    一问一答间，徐渭仔细端详了姑娘，她身穿白衣，俨然是书香门第的小姐。这让他联想到了《陌上桑》中的罗敷，也让他想起了自己早逝的妻子，一时间思绪万千。

    姑娘看他不说话，忙问："先生怎么了？"徐渭诚恳地说："对不起，姑娘的机智让我无地自容。"

    "哪的事？不过是个玩笑罢了，潘秀才家一直往前走就到了。"

卷 纸本 墨笔 29.7 × 67.4cm 辽宁省博物馆藏

58

册页 纸本 墨笔 46.3 × 62.4cm 北京故宫博物院藏

此画的画面左侧画有一棵大树，枝干和叶子都用浓墨画成，树下有两个小童席地而卧，其中有一个小童头部前面放着一把笤帚，可能是小童干活时偷懒躺在树荫下睡觉吧。

册页 纸本 墨笔 46.3 × 62.4cm 北京故宫博物院藏

此画中一个渔夫正在湖边捕鱼，渔夫身披蓑衣，下穿一条短裤，正在聚精会神地弯腰拉网。

册页　纸本　墨笔　46.3 × 62.4cm　北京故宫博物院藏

62

册页　纸本　墨笔　46.3×62.4cm　北京故宫博物院藏

## 失之交臂

　　却说徐渭在姑娘的指引下来到潘家，寒暄几句后，潘迅速把谈话引向正题。原来，徐渭的妻子去世好几年了，朋友们都为他操心。潘听说本地富商严家有位小姐，才貌双全，因眼光太高，一直待字闺中。于是潘自作主张为徐渭提亲。

　　提及此事，徐渭回忆起自己的原配妻子的温柔贤淑，又想起刚才路上遇见的那位姑娘的聪明机智……他本不想去严家，但禁不住潘的死缠烂打，不得已来到严家，他一看到以后可能是他岳父的人以商人的眼光打量他，就很恼怒，三言两语就把这门婚事推了，连小姐的面都没见。

　　潘一边唠唠叨叨地说徐渭太不给人家面子，一边跟着徐渭往外走。这时，几个姑娘迎面走来，徐渭看到那个采桑姑娘正在其中，一下子说不出话来。姑娘却大方地说："咦？你怎么到我家来了？"潘见状大惑不解："你们认识么？"徐渭反问："这位是？"潘说："这就是严家大小姐啊！……"

　　潘后面说了什么徐渭一句也没听到，只是在内心抱怨自己，不应该一看那个商人就推辞了这桩婚事，与这位才貌双全的姑娘失之交臂。两年后，当徐渭听说倭寇袭击湖州、严家大小姐投水自尽时，悔恨、惋惜、自责和内疚充满了他的内心。直到晚年，他都对严小姐念念不忘，为自己当初的懦弱抱憾终身。

## 山水人物图(七)

此画中，一位诗人行吟于江畔山颠，旁有几棵树，枝叶迎风飘动，人物的须发、衣裳也随风飘摇，体现出一种放逸情怀。

此画描绘的是一位儿童放风筝,儿童手拉线绳,风筝向右上方飘举,儿童回首望风筝的神态活灵活现。

册页 纸本 墨笔 46.3 × 62.4cm 北京故宫博物院藏

# 墨花九段

　　此画画有竹子、兰花、芭蕉、梅花、牡丹等九种植物，花侧均有题诗。此画用大写意手法，将各种花卉的特点表现得淋漓尽致，令人感觉美不胜收。

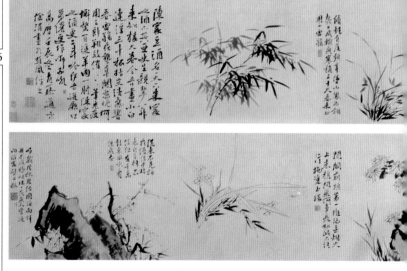

66

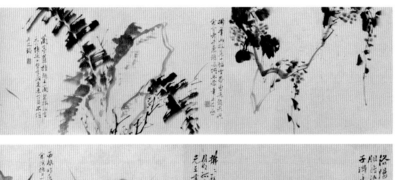

卷　纸本　墨笔　46.3 × 624cm　北京故宫博物院藏

# 徐渭的艺术风格

哲学家认为：痛苦是增进人生价值的兴奋剂。因为痛苦往往能坚定意志，痛苦能使精神升华。

徐渭一生命运多舛，面对痛楚的现实他转而寄情于书画，以艺术来宣泄他"磊落不平之气"，使他对客观世界充满激情。他在艺术风格上常流露一种桀骜不驯的个性，放纵而动人的墨谑，使正直的人为他的激情所鼓舞，产生共鸣。他大胆创新，力挽前期花鸟画工整艳丽的甜俗之风，而独创泼墨大写意一派，蔚然成为一代大家。

他的大写意画风，是从自觉地研究和总结前人的理论和创作成果中来的，加上他全面而深厚的学识修养，一生不得志的惨痛遭遇形成了他狂傲不驯的性格，因此他创立的大写意画风具有不同流俗的格调。他那种热烈、豪放、沉雄而带霸悍的大写意，让人心潮激荡，痛快淋漓。徐渭可以说在我国绘画史上给大写意画风以一个新的突破，是中国绘画向高层次发展的一个大体现。

八大山人继承徐渭的绘画艺术，但笔墨中消去了霸气，使大写意画风走向成熟、高雅，形成了写意花鸟画独特的语言。经石涛、"扬州八怪"的发展变化，大写意流派从晚明、清代以至近现代，几乎蔓延于整个画坛。

徐渭在所住屋舍的西面种植了一架葡萄，用来遮蔽夏日的阳光，到秋天后葡萄果实累累，圆莹可爱，又成为徐渭的绘画题材。从此画右面的题诗"笔底名珠何处卖，闲抛闲掷野藤中"不难看出，徐渭借此画表达了自己怀才不遇的心情。

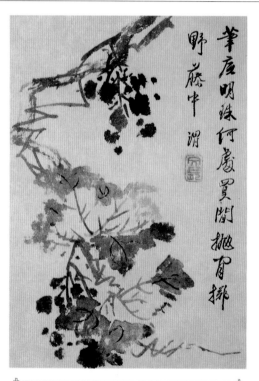

册页 纸本 墨笔 28.5×19.5cm 中国国家博物馆藏

画中一老翁若有所思，正在船上垂钓，竹枝长线，一副隐者归于田园的景象。画中寄托了徐渭投身于自然之中、与万物共享悠闲乐趣的美好愿望。

72

册页　纸本　墨笔　28.5×19.5cm　中国国家博物馆藏

画中树荫底一位老者正在吟诗赏景，感慨世间悲凉，一个小童抱着一只鹅走过来，仿佛在问这位老者这只鹅怎么处理。老者扭头转向小童，小童抱鹅抬头听老者讲话，全画意境和谐而安静。

册页　纸本　墨笔　28.5×19.5cm　中国国家博物馆藏

74

册页　纸本　设色　30.4 × 35cm　北京故宫博物院藏

道人寫竹弄梅叢都與禪

家裏味同大抵絕無花葉祖

團嘉老亮烟中

此画描绘的是岩石上一株小杏花,这株杏花落笔自然,就好像是不经意间信手拈来,但意趣横生。

76

　　此画描绘的是石榴,徐渭有时画石榴花,但画的较多的还是石榴果,这个石榴果枝叶茂盛,石榴裂开,露出里面的石榴籽。此画蕴含着徐渭怀才不遇的感慨。

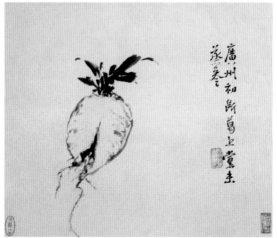

册页 纸本 设色 30.4 × 35cm 北京故宫博物院藏

# 《进白鹿表》

嘉靖三十七年（1558年），徐渭正式加入总督胡宗宪的幕府。作为封疆大吏，胡宗宪手下人才济济，食客甚众，颇有几分孟尝君的意思。在这里，不但武将能施展他们的抱负，很多著名的文人也享受自由的艺术创作空间。

正值盛年的徐渭才华横溢，不久就被胡宗宪发现。1557年，胡宗宪要给皇帝进贡一只白鹿，有人拟了《献白鹿表》，徐渭看后一言不发，胡宗宪问："先生觉得这文章如何？如果觉得不好，你也写一篇让我看看。"看了徐渭写的《进白鹿表》，作为武将的胡宗宪分辨不出好坏。自负的徐渭说："大人可以把两篇都带到京城去，请名家判断。"不久，京城传来消息，徐渭的文章皇上看了龙颜大悦，对胡宗宪倍加赏赐。从此，徐渭在胡府的地位扶摇直上。他或衣冠不整出入总督府，或在酒肆酩酊大醉，颇有几分"天子呼来不上船"的架势。

这位威镇一方的将军既是徐渭的忘年交，又是他的师长。他欣赏他的才华，给他自由生活的空间，又赏给他房屋。作为中国传统文人，徐渭修身、齐家、治国、平天下的愿望似乎都实现了。如果胡宗宪后来没有倒台，那徐渭的人生将是另一种样子。不过徐渭也没有辜负胡宗宪的知遇之恩。胡去世后，徐渭写下了《祭少保公文》。胡宗宪给了徐渭生前的辉煌，徐渭给了胡宗宪永世的荣耀。

80

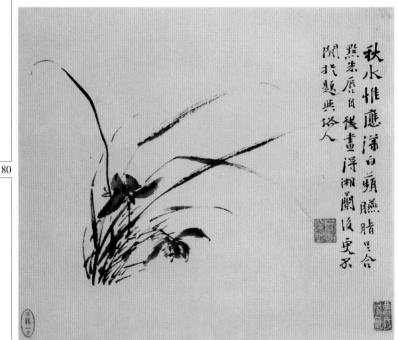

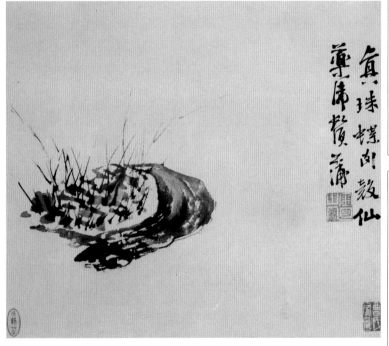

　　此画将竹笋、藕、葡萄、白萝卜、杏、佛手、石榴、桃子等蔬菜瓜果放置在了一幅画面上，每种蔬菜瓜果形态各异，特点被刻画得活灵活现，如葡萄晶莹剔透，石榴丰腴饱满，竹笋枝枝节节，等等。

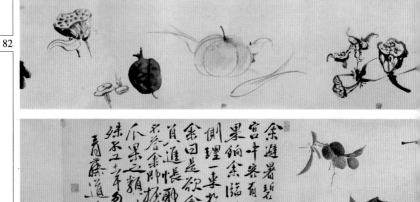

卷　纸本　墨笔　30.5 × 408cm　沈阳故宫博物院藏

84

86

卷　纸本　墨笔　26.9 × 38.3cm　北京故宫博物院藏

## 卖画

嘉靖四十年（1561年）徐渭在胡宗宪的撮合下娶了他的第二任妻子张氏。张氏是个市井女人，她无法理解徐渭吟诗做画的生活，一心让徐渭考功名，走仕途。

有一天，张氏无意中说起邻居家的古画卖了40两银子，徐渭不屑："那算什么？这幅沈青门送我的《滇茶花》才是名作。"张氏听了半信半疑地说："这画真的很值钱么？那我们把它卖了吧？"徐渭好奇地说："卖了它你要买什么呢？"张氏开始想入非非，"我要嵌金的翡翠坠子，纯金的镯子，总督夫人带的簪子……"

徐渭本以为玩笑到此为止，谁知张氏真叫来一个古董商。古董商认得此画沈青门的珍品，试探张氏打算多少钱出手。张氏一听此画值钱，连忙把徐渭叫来开价。徐渭一看玩笑开大了，只得说明是好友相赠，没打算卖，打发了古董商。张氏看徐渭不肯卖画，质问他为何出尔反尔。徐渭也是急火攻心，顺口说了句："我就是穷得去要饭，卖了你也不能卖它。"此话让张氏大怒，她不但破口大骂，还寻死觅活，边哭边说："我苦命的孩子啊，还没出生就要被你狠心的爹卖了……"这时徐渭才知道张氏已经怀孕了，这个孩子就是徐渭的小儿子徐枳。

由这件小事可看出，徐渭和张氏的婚姻并不幸福，这让徐渭更加怀念他的前妻，甚至严家小姐，这也为他日后的杀妻埋下了伏笔。

　　徐渭常画荷花，这幅画画有荷叶、荷花还有一个成熟的莲蓬。徐渭用大笔水墨画荷叶，只用淡淡的笔勾勒荷花，用中锋画荷梗，这样花与叶相衬，非常美丽优雅。徐渭画此画的用意是想表现"出淤泥而不染"的高洁品质，虽然现实社会污浊不堪，但自己还是可以像水塘中的荷花一样高贵清雅，不受外界污浊之气的困扰。

卷　纸本　墨笔　26.9 × 38.3cm　北京故宫博物院藏

此画又叫《醉翁图》，画面中心绘有一位长者和一个小童，旁边是一个类似酒缸的东西。这位长者喝醉了酒，不能自己行走，小童就在旁边搀扶。一老一小两个人物，简单几笔刻画得栩栩如生。

89

此画描绘的是岩石上的几枝菊花。菊花是在秋天百花凋零的时候吐露芬芳,所以画家和诗人常用菊花比喻在逆境中坚持节操的高尚人格。

卷　纸本　墨笔　26.9×38.3cm　北京故宫博物院藏

　　此幅画中，几棵树矗立在画面的左侧，用大篇幅画瀑布，也许是想用瀑布的哗哗声响吸引画面中的两个正在惜别的人物，使得他们回首相望。

卷　纸本　墨笔　26.9×38.3cm　北京故宫博物院藏

## 难友

嘉靖四十五年（1566年）冬，徐渭在精神恍惚中，杀死了他的第二任妻子张氏。当他清醒过来的时候，他已经在阴暗的牢房中了，身上戴着沉重的枷锁，被孤独和恐惧笼罩。黑暗中的人影，仿佛是他救命的稻草，他问："你也是个囚犯么？""是的，我犯的是杀人案，只有死囚才上枷。"徐渭看看身上的枷锁，喃喃自语："他们要杀我，我杀人了么？"那个人笑了："你来的时候神志不清，他们说你杀妻。"徐渭慢慢回忆起什么，自言自语："我不是故意的。""杀人偿命，谁管你是不是故意的？"

徐渭借着微弱的光线，一边打量这位骨瘦如柴，满脸胡须的难友，一边说："我是秀才，他们不能随便杀我。""嘿嘿，秀才算什么？你一进来功名就被剥夺了。"一股寒气袭击了徐渭，他好久才又问："我们是要被砍头么？""当然是，只有有功的大臣才能享受皇上赐毒酒或白绫的待遇……"攀谈中，徐渭喜欢上了这位幽默、达观的难友，得知他叫许十六，许十六知道他就是徐文长和他的故事以后，安慰他说："如果外面有朋友帮忙，你不一定是死罪，你是在发头风病的时候杀人的，所以你要一口咬定是误杀，我保证你会没事的……"许十六的安慰陪伴徐渭度过了狱中最艰难的时光。

　　此画中，一只黑蟹的两个大钳子正在钳芦苇。徐渭爱吃蟹，也喜欢画蟹，人们经常送蟹给他以求画。徐渭常常以画蟹讽刺那些横行霸道的权贵；在徐渭诗文中又把蟹叫做"无肠"、"无肠公子"，所以又骂那些贪官权贵没有心肠，也指他们肚内没有才学。

卷　纸本　墨笔　26.9×38.3cm　北京故宫博物院藏

此画中，一位老者坐在船头，船棚在一片枝杈中隐约显见，在老者的前面有几只燕子在低飞，老者看起来若有所思，这也许就是徐渭这类文人生活的典型写照。

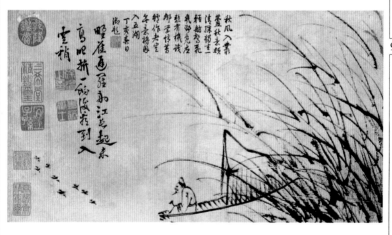

卷　纸本　墨笔　26.9 × 38.3cm　北京故宫博物院藏

局部

轴 纸本 墨笔 114.6 × 29.7cm 北京故宫博物院藏

98

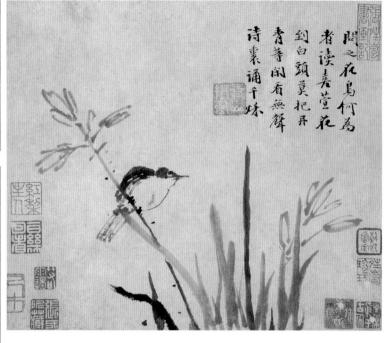

问之花鸟何为
者读萱花
到白头莫把开
青等闲看无解
诗囊诵千姝

册页　纸本　墨笔　19×22cm　中国国家博物馆藏

100

局部

卷　纸本　墨笔　28×79cm　天津历史博物馆藏

# 恐因车马乱苍苔

晚年的徐渭在经历了入狱、做幕僚的生活后，回到了故乡绍兴，住在租来的"梅花馆"中，书画自娱。这一天，他正在和朋友聊天，却听见远远传来官轿喝道的声音。不一会儿，有一个衙役进来通报："山阴知县刘尚志求见徐先生。"徐渭很厌恶官场人物，又忙着和老朋友叙旧，于是随口说："徐文长不在家。"衙役为难地说："徐先生您明明在家，这叫我回去怎么回禀呢？"

"你照我说的回禀不就行了么？""我家老爷是诚心来拜会先生。"

"你怎么断定我就是徐文长？""……"

"你又怎么证明他就是山阴知县呢？"

衙役连忙呈上名帖，徐渭笑着说："那我也还他一张纸吧！"于是他信笔写下："传呼夹道使君来，寂寂柴门久不开。不是疏狂甘慢客，恐因车马乱苍苔。"

打发走了衙役，两人对视而笑，朋友说："你还是那个老脾气，就不怕得罪了地方官么？"正说着，又有人敲门，开门一看，一个儒雅的陌生人一揖到地，"读书人刘尚志，拜见徐文长先生。"徐渭故意说："刘尚志不是走了么？"陌生人说："知县刘尚志走了，读书人刘尚志来了，此刘非彼刘，先生还是不要下逐客令吧？"说罢，三人哈哈大笑。

郭恕先為富人子作風
鳶圖富子怒而詆絕意
其時固必毀裂余慕而擬
作恕先何人顗驚逐騃
童[...]

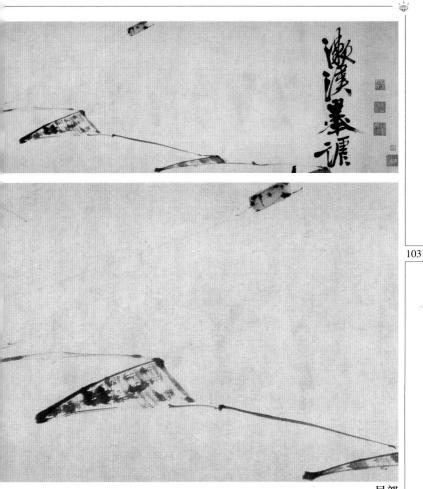

局部

卷　纸本　墨笔　32.4 × 160.8cm　上海博物馆藏

　　徐渭在画此画时，打破时空的局限，把分别属于春夏秋冬四个不同季节的花卉画在同一个画面，极富文人画的奇趣妙想。此画笔墨灵活多变，各种花卉画法也不同，或用大写意大气磅礴；或兼工带写笔法细腻；或用留白烘托法，纵逸豪放，水墨淋漓酣畅，寓意深远。

轴　纸本　墨笔　144.7 × 80.8cm　北京故宫博物院藏

**图书在版编目(CIP)数据**

第一影响力艺术宝库. 红卷 /《第一影响力艺术宝库》编委会编著.
—北京：北京出版社，2004
ISBN 7-200-05737-1

I.第… II.第… III.中国画－鉴赏 IV.J205.1

中国版本图书馆 CIP 数据核字(2004)第 111872 号

□ 全案策划 [logo] 唐码书业 [北京]有限公司
**www.tangmark.com**

□ **责任编辑** 杨良志
□ **执行编辑** 邢彩云
□ **封面设计** 刘畅
□ **装帧设计** 张明

# 第一影响力艺术宝库(红卷)

DIYI YINGXIANGLI YISHU BAOKU (HONGJUAN)

## 水墨绝唱——徐渭

《第一影响力艺术宝库》编委会 编著

**出版** / 北京出版社

**总发行** / 北京出版社出版集团

**经销** / 新华书店

**印刷** / 北京外文印刷厂

**开本** / 32(787 × 1092mm)

**印张** / 3.75

**字数** / 30 千字

**版次** / 2005 年 1 月第 1 版

**印次** / 2005 年 1 月第 1 次印刷

**印数** / 1 — 7,000

ISBN 7-200-05737-1/J · 437

定价：240.00 元(全 20 册)